Moi,
Thérèse M

CW00432284

Un comprimé ?
Jamais !

écrit par Gérard Moncomble
illustré par Frédéric Pillot

HATIER
POCHe

1
Le coup du comprimé

Maman et Suzanne ont l'air bizarre, ce matin. Papa, pareil. Je vide ma gamelle et je file vite fait, moi. Drôle d'ambiance, ici.

J'avale trois croquettes.
Tiens, j'en vois une toute pâle.
D'un coup de patte, je l'écarte.
– Tu préfères ça? dit maman
en brandissant une crotte en
chocolat.

Sûr! Sauf qu'elle croque, cric-crac!
cette crotte! Pouac! Je la recrache
aussitôt.

Alors papa me fonce dessus
en criant : «Plan numéro 3!»
Maman bondit, armée d'une
pince en plastoc. Au bout,
il y a un comprimé. Et elle veut
que je l'avale, matoupétard!

– C'est un vermifuge, Thérèse!
hurle Suzanne. Pour éliminer
tes vers!
Quoi, mes vers? Qu'est-ce qui
leur prend de s'occuper de
mes vers?

Pas question de me laisser faire, matoucrotte! Je griffe tout ce qui est à ma portée, surtout les gros doigts de papa.

Trois fois la pince lâche le comprimé, trois fois je l'éjecte aussi sec.

– Tant pis pour toi! grogne papa. On applique le plan numéro 4!

Et il me colle illico dans la boîte à chats. Je vais en prison ou quoi?

2
Bazar total

Le plan numéro 4, c'est la clinique vétérinaire. La salle d'attente est pleine à craquer. On dirait que tout le quartier est grippé, détraqué, éclopé. Gros bobos à gogo!

Moi, je suis en pleine forme ;
mais furax ! Je couine comme
quatre. Les papa-maman ont
beau dire chut-chut-chut-chut,
je m'en contrefiche.

Néfertiti, ma pire ennemie, vient se planter devant ma cage pour me narguer. Elle se croit au zoo, miss chichis?

Tchac! Je lui flanque mes griffes sur la truffe. Elle file en feulant, cette folle. Bien fait.

Et ça continue! Le monstre poilu,
qui m'a reconnue, se rue pour
me croquer toute crue.
D'un coup de patte,
le dingo fait
valdinguer
la cage.

Résultat : ma porte s'ouvre!

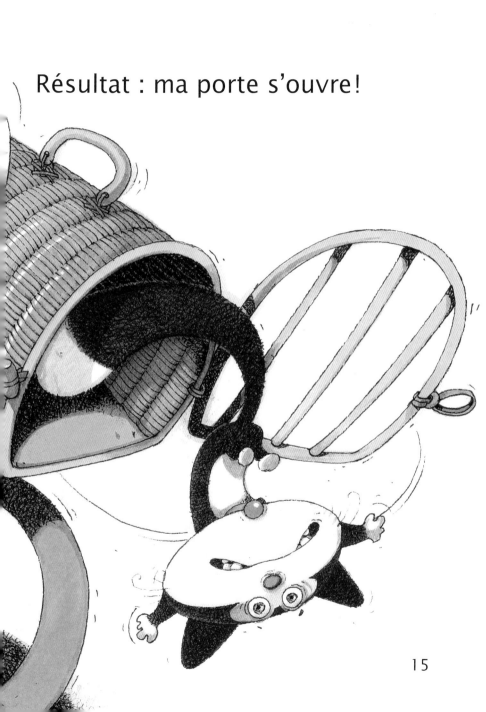

La suite, c'est une pagaille d'enfer!

Le vétérinaire s'en mêle. Il s'y connaît, pour mater toutous et matous. Trois papouilles, deux guili-guili, une chatouille et tout rentre dans l'ordre.

L'heure du comprimé approche.
Aïe, aïe, aïe.

3
Retour au bercail

Néfertiti et compagnie ont été soignées, opérées, vaccinées. C'est mon tour.
– De quoi souffre cette pauvre bête? demande le vétérinaire.

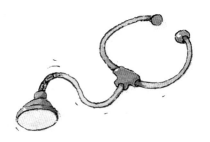

Papa bredouille, maman bafouille.

– Pardon? dit le vétérinaire.

Suzanne agite la boîte de vermifuge.

– Thérèse ne veut pas avaler son comprimé, voilà.

La tête du vétérinaire! Il manque
d'air, s'étouffe, aboie :
– Vous vous moquez de moi?
À mon avis, pour le comprimé,
c'est râpé.

Bien vu. Une seconde plus tard,
on est sur le trottoir. Vi-rés!

Papa est vexé, maman boude,
Suzanne pouffe en douce.

Moi, j'ai toujours mes vers.

On rentre à la maison. La famille est battue à plates coutures. Thérèse : 4 ; papa-maman : zéro. Et il n'y a pas de plan numéro 5. La guerre des vers est terminée.

Je savoure mon triomphe.

Puis je saute sur les genoux de Suzanne. *Maintenant,* je suis prête.

Alors, ce comprimé,
      ça vient, oui ou crotte?

joue avec moi

As-tu une mémoire d'éléphant ?

1. Avec quel instrument maman essaie-t-elle de me faire avaler le comprimé ?

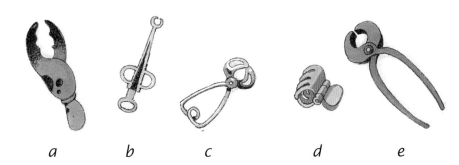

a   b   c   d   e

2. À quoi ressemble cette maudite boîte de vermifuge ?

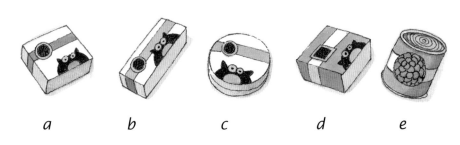

a   b   c   d   e

3. Qui sont les bestioles présentes
dans la salle d'attente?

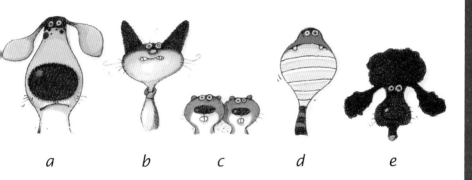

a b c d e

4. Parmi ces parapluies, lequel appartient
à maman?

a b c d

Salut! Moi, c'est **Thérèse**. La Thérèse en vrai,
avec des poils et des moustaches.
Je vis avec Gérard Moncomble et sa famille
dans une grande maison à la campagne.
J'ai des croquettes, un coussin
et je dors toute la journée.
Le bonheur, ça s'appelle.

Ça, c'est **Frédéric**, **Gérard** et moi.
Le grand blond me dessine avec ses crayons
et ses pinceaux. Le barbu raconte
mes histoires. En plus, ils me caressent
tout le temps.

Hé, ho! Moi aussi,
je peux faire ma star, hein!
Pour qui elle se prend,
celle-là?

HATIER
POCHE

POUR DÉCOUVRIR :

> **des fiches pédagogiques** élaborées par les
enseignants qui ont testé les livres dans leur classe,
> **des jeux** pour les malins et les curieux,
> **les vidéos** des auteurs qui racontent leur histoire,

rendez-vous sur

www.hatierpoche.com

Responsable de la collection :
Anne-Sophie Dreyfus
Direction artistique, création graphique
et réalisation : DOUBLE, Paris
© Hatier, 2013, Paris
ISBN : 978-2-218-97056-6
ISSN : 2100-2843

PAPIER À BASE DE
FIBRES CERTIFIÉES

Hatier s'engage pour
l'environnement en réduisant
l'empreinte carbone de ses livres.
Celle de cet exemplaire est de :
150 g éq. CO_2
Rendez-vous sur
www.hatier-durable.fr

IMPRIM'VERT

Achevé d'imprimer en France par Clerc
Dépôt légal : n° 97056-6/02 - décembre 2013